D1610522
ICONS

MEXICANA

VINTAGE MEXICAN GRAPHICS

Ed. Jim Heimann

TASCHEN

KÖLN LONDON MADRID NEW YORK PARIS TOKYO

Acknowledgements

A "muchas gracias" goes out to all of those image providers who, with their impeccable eyes, funneled their treasures to me. Among them are Rocky Behr of the Folk Tree in Pasadena, California, Ralph Bowman, Jeff Carr, Dan De Palma, Gary Fredericks, Billy Shire of Wacko and La Luz De Jesus, and John Zabrucky of Modern Props. As always, the anonymous hunters and gatherers of the flea markets and swap meets deserve a shot of Patrón.

Special thanks to Cindy Vance for her unabashed enthusiasm in digitally producing and designing the book. The unaccounted hours of service above-and-beyond the call of duty is deeply appreciated.

Hohenzollernring 53, D–50672 Köln
www.taschen.com

Art Direction & Design: Jim Heimann, L.A.
Digital Composition & Design: Cindy Vance, Modern Art & Design, L.A.
Cover Design: Claudia Frey, Cologne
Production: Tina Ciborowius, Cologne
Editorial coordination: Annick Volk, Cologne
German translation: Gabriele Gugetzer, Hamburg
French translation: Daniel Roche, Paris

Printed in Italy
ISBN 3-8228-1563-2

Mexicana

The dominance of European and American imagery derived from popular culture has often obscured many other global cultures rich with a similar tradition. The gradual re-discovery of these populist images in other cultures has revealed a range and sophistication of graphic sensibilities in an amazing display of new found art. Mexico, where a graphic tradition has long been in place for the bulk of the twentieth century, is one such depository. Much of the Mexican graphic material currently being unearthed was the by-product of European printing processes introduced by the Spanish and French. The presses were responsible for the mass production of images, which flooded every part of the country awakening an awareness of printed matter for both colonists and the indigenous population as well. Likewise, the widespread distribution of magazines and newspapers provided imagery to a broader public forum. The results of the Mexican revolution stimulated an interest in a new nationalistic art which prompted social awareness of all things Mexican. Before long much of this imagery found itself appropriated and integrated into the popular arts. Match covers, cigarette labels, packaging for countless regional products, pulp magazines, posters for bull fights and for the popular wrestling heroes of *La Lucha Libre*, all exhibited the exuberance of Mexican pride. Some of the more endearing images applied to these types of products were created from small presses with limited technology. Often the product of small villages or border towns such as Tijuana and Juarez, these images were honest, simplified, crudely printed, and often out of register. These qualities, once identified with poor printing and low-brow art are now much sought after by designers and by collectors of paper ephemera for exactly those properties.

The tourist industry provided another effusive source of printed matter. Brochures offered the glories of Mexico by illustrating its natural beauty, architecture, landmarks, and local charm. While artistic interpretations by agencies outside of Mexico tended to focus on stereotypes such as sleeping Mexicans and senoritas dressed in Spanish garb, native illustrators and artists commissioned to create these graphics were typically trained in Western styles but deftly portrayed an authentic, if often exaggerated Mexico. Occasionally a political statement was incorporated into artwork destined for tourists such as the image on page 112 which depicts a hovering Uncle Sam surrounded by industrial waste while a relaxed Mexican guitar player strums amidst the bucolic landscape of a rural village.

Perhaps the most distinctive images to emerge from this graphic tradition was the artwork displayed on calendars from the 1930s and 40s, an art form that became a pervasive part of Mexican culture. The imagery printed on these calendars borrowed heavily from a romanticized version of Mexican life and mythology, idealizing native customs, dress, and folklore. The calendars, which were freely distributed by businesses, often were a household's primary piece of art and became a central piece of interior decoration surrounded by family photos and religious icons. The subject matter of the calendars ranged from religious icons such as Our Lady of Guadeloupe, to those images drawn from Mexico's vibrant history. The power of the chromos, as the calendars are known, is undeniable. They fulfilled, through illustrations, a past and present that was understood by all levels of society.

Sadly, as with much paper ephemera, vast amounts of popular Mexican images have been lost to time and indifference. The depth of the graphics hinted at in this volume is a tantalizing foretaste of the riches to be discovered. Hopefully as the popularity of these visuals continues and new images emerge they can once again be enjoyed for their intrinsic value and for their contribution to the vernacular arts and cultural fabric of Mexico.

Mexicana

Die aus der Volkskunst hervorgegangene dominante europäische und nordamerikanische Bildkunst hat oftmals andere Weltkulturen verdrängt. Die allmähliche Wiederentdeckung der Traditionen anderer Kulturen hat eine populäre Kultur zum Vorschein gebracht, die ein erstaunliches grafisches Talent und Gefühl erkennen lässt. Diese verloren geglaubte Kunst kann man beispielsweise in Mexiko entdecken, einem Land, in dem die Grafik seit Beginn des 20. Jahrhundert ständig präsent ist. Der größte Teil des gesammelten Materials ist ein Nebenprodukt der europäischen Druckkunst. Den Druckerpressen verdankte das Land eine Flut von Bildern, die in jedem Winkel des Landes auftauchten und bei der einheimischen Bevölkerung wie bei den Kolonialisten gleichermaßen ein Bewusstsein für Gedrucktes weckte. Durch den weit verzweigten Vertrieb von Zeitschriften hatte auch eine breitere Öffentlichkeit Zugang zu Druckerzeugnissen. Der Ausgang der mexikanischen Revolution brachte ein Interesse an einer neuen, nationalen Kunst mit sich und sorgte für ein erwachendes soziales Bewusstsein für alles, was Mexiko symbolisierte. Es dauerte nicht lange, bis die Volkskunst sich der neuen Bildsprache anpasste und diese vereinnahmte. Ob es Streichholzschachteln waren, Zigarettenlabel, sogenannte Schundliteratur, Werbeposter für Stierkämpfe oder die so beliebten Ringerwettkämpfe der Helden von *La Lucha Libre* – nun quoll alles über vor mexikanischem Nationalstolz. Einige der begehrtesten Bildmotive wurden von kleinen Druckereien mit beschränkten technischen Möglichkeiten hergestellt. Diese Bilder, die häufig in Dörfern oder Grenzstädten wie Tijuana und Juarez entstanden, waren ehrlich, einfach, schlecht gedruckt und entsprachen nicht dem Standard. Heute sind diese Objekte, die einst mit schlechter Druckqualität und primitiver Kunst in Verbindung gebracht wurden, bei Designern und Sammlern gerade wegen jener Eigenschaften heiß begehrt.

Eine andere wichtige Quelle von Druckerzeugnissen war der Tourismus. Während sich die Werbebranche außerhalb des Landes auf Klischees wie den schlafenden Mexikaner oder die Señorita in der Nationaltracht konzentrierte, porträtierten die einheimischen Grafiker und Künstler gekonnt ein – wenn auch oft übertriebenes – authentisches Mexiko, obwohl sie im westlichen Stil ausgebildet waren. Manchmal fand sich sogar eine politische Aussage in dieser Kunst, die für Touristen gedacht war, zum Beispiel in dem Motiv des umherstreunenden Uncle Sam (S. 112), der von Industrieabfall umgeben ist, während ein Mexikaner in der pastoralen Landschaft eines ländlichen Dörfchens ganz entspannt an seiner Gitarre zupft.

Die unverkennbarsten Bilder dieser grafischen Tradition entstanden zwischen den 30er und 40er Jahren des vergangenen Jahrhunderts in Form von Kalendermotiven und übten einen nachhaltigen Einfluss auf die mexikanische Kultur aus. Sie machten Anleihen bei der romantisch-verkitschten Version mexikanischen Lebens und seiner Mythologie, idealisierten nationale Angewohnheiten und stilisierten die Nationaltracht und die Folklore des Landes. Die Kalender, die kostenlos von Firmen verteilt wurden, waren oft zentrale Einrichtungsgegenstände, die von Familienphotos und Ikonen umgeben waren. Die Themen der Kalender waren vielfältig und umfassten sowohl religiöse Ikonen wie die Heilige Maria von Guadeloupe als auch Ereignisse aus Mexikos bewegter Geschichte. Die Stärke dieser *chromos*, wie die Kalender heißen, ist unübersehbar, denn sie beleben durch ihre Illustrationen Vergangenheit und Gegenwart und wurden von allen gesellschaftlichen Schichten verstanden.

Wie so oft bei kurzlebigen Druckerzeugnissen, sind auch in diesem Fall unzählige Bilder aus der populären Kultur Mexikos verlorengegangen. Die vorliegenden Illustrationen bilden einen verlockenden Vorgeschmack auf die Reichtümer, die noch auf ihre Entdeckung warten. Es ist zu hoffen, dass die Beliebtheit dieser Bildsprache fortbesteht und neue Bilder zu Tage gefördert werden, die nicht nur für ihren eigenen künstlerischen Wert geschätzt werden, sondern auch als Beitrag zur Alltagskunst und Kultur Mexikos.

Mexicana

La domination des imageries européennes et américaines dérivées de la culture populaire a souvent éclipsé de nombreux autres patrimoines similaires provenant d'autres cultures. La redécouverte de ces images populaires dans ces autres cultures a fait apparaître un éventail de sensibilités et une sophistication graphique étonnamment variés. Le Mexique, où une tradition graphique ancienne a préparé l'explosion du XXe siècle, recèle une véritable mine d'images de ce genre. L'essentiel du matériel graphique mexicain est un sous-produit des procédés d'impression européens. Les progrès de l'imprimerie ont permis la production en grande série des images qui ont inondé toutes les régions du Mexique, sensibilisant au support imprimé aussi bien les coloniaux que la population indigène. Les conséquences de la révolution mexicaine ont éveillé l'intérêt du peuple pour un nouvel art national, contribuant à créer une conscience sociale de l'identité mexicaine. Et les arts populaires n'ont pas tardé à assimiler et à véhiculer à leur tour cette imagerie. Boîtes d'allumettes, étiquettes de paquets de cigarettes, magazines à sensation, affiches pour les corridas et pour les lutteurs de *La Lucha Libre* – véritables héros populaires – tous ces supports relayaient les emblèmes de la fierté mexicaine dans son exubérance. Certaines de ces images, parmi les plus attachantes apposées sur ces produits, ont été imprimées sur de petites presses à la technologie modeste. Souvent produites dans de petits villages ou des villes frontières comme Tijuana et Juarez, ces compositions étaient honnêtes, stylisées, d'une qualité d'impression rudimentaire et souvent décalées. Autant de qualités naguère synonymes d'impression médiocre et d'art fruste, aujourd'hui très recherchées par les graphistes et les collectionneurs de vieux papiers, précisément pour leur style caractéristique.

L'industrie touristique est à l'origine d'une autre manne de documents imprimés. Alors que les visuels des agences étrangères tendaient à privilégier des stéréotypes – Mexicains endormis et señoritas en costume espagnol typique –, les illustrateurs et artistes locaux auxquels on commandait ces compositions restituaient avec adresse, dans un style influencé par le voisin américain, un Mexique authentique bien que non exempt de certains traits caricaturaux. Parfois, une prise de position politique vient s'insinuer dans ces représentations destinées aux touristes, comme dans cette image (p. 112) qui représente Oncle Sam surplombant un paysage industriel dévasté tandis qu'un guitariste mexicain insouciant gratte les cordes de son instrument dans le cadre bucolique d'un petit village campagnard.

Les images peut-être les plus représentatives de cette tradition graphique sont celles qui figurent sur les calendriers des années 1930 et 1940, objets dont l'inspiration a envahi l'ensemble de la culture mexicaine. L'imagerie de ces calendriers offre souvent une version romanesque de la vie et de la mythologie mexicaines, idéalisant les mœurs, les costumes et le folklore populaires. Ces calendriers qui étaient distribués gratuitement à titre de cadeaux par diverses sociétés étaient souvent les uniques œuvres d'art d'intérieurs modestes dont ils constituaient souvent l'élément clé de la décoration, à côté des photos de famille et des icônes religieuses. Parmi les thèmes de ces calendriers, on trouve des sujets religieux, comme celui de Notre-Dame de la Guadeloupe, ainsi que des représentations du passé national agité. Le pouvoir de ces chromos, terme sous lequel on désigne ces calendriers, est indéniable. Ils véhiculaient, par le truchement de leurs illustrations, une représentation du passé et du présent comprise dans toutes les classes de la société.

Malheureusement la plupart de ces images mexicaines populaires ont été détruites : l'indifférence et le temps ont fait leur œuvre. Ce livre, introduction à un univers graphique d'une grande richesse, présente un avant-goût des trésors à exhumer. Il faut espérer que la popularité croissante de ces visuels et la réapparition d'images anciennes contribuera à les faire apprécier pour leur valeur intrinsèque et pour leur apport aux arts vernaculaires et à la culture mexicaine dans son ensemble.

you'll like
MEXICO

MEXICO

Mestiza

Motoring in Mexico
General Information
Visit Mexico
Pemex Travel Club

West Coast of
Mexico
Route
Southern Pacific

MEXICO

Let's Visit
MEXICO

Rock Island
MÉXICO

REVISTA
MEXICO
Nº 1

ARMANDO
DRECH

GUESTS OF MEXICO

MEXICO
CARLOS MÉRIDA
A DIFFERENT WORLD!....

Ciro's

Diego Rivera

Motoring in Mexico

Rest and loaf in the grand manner... at amazingly low cost, driving your own car through Mexico's enchanted motor-ways.

Enjoy it all at its best with

MEXOLINA

the new high-test, anti-knock gasoline and

PEMEX-PENN

a 100 per cent pure Pennsylvania oil – two PEMEX products especially produced for motorists who want the best.

MEXICO CITY
7347 FT.
DOLORES
CONTADERO
TO VILLA OBREGON
DESERT OF THE LIONS
LA VENTA
10381 FT.
MONUMENT TO HIDALGO
RANCHO MARQUESA
6 MILES
TO TROUT HATCHERIES
LERMA
METEPEC
28 MILES
TENANCINGO
TENANGO
LERMA RIVER
CALIXTLAUACA 6 MILES
8659 FT.
TOLUCA
VOLCANO OF TOLUCA 15015 FT.
ZINACANTEPEC
ROAD TO VOLCANO 27 MILES
VILLA VICTORIA
VALLE DE BRAVO
RIVER
ASUNCION
S. JOSE MALACATEPEC
LOMA BOSENCHEVE
9348 FT.
LENGUA DE VACA PASS
STATE OF MEXICO
STATE OF MICHOACAN
MACHO DE AGUA
9
5.5
22
13.5
24
15
34
21
35
21.5
27
44
30
49
65
40
74
46
114
70
132
82
146
90

IXTAPAN
The Fountain of Health

TEMAXCALTONZI

The Aztec Goddess of the Healing Waters

RECUPERATE

QUERETARO
MEXICO

GUADALAJARA
MEXICO

GUANAJUATO
MEXICO

colorín

ALAS
LIGA DE TABACOS NEGROS
ALAS
ALAS
cigarros
el aguila
s.a.
av. nextengo no. 78
méxico 16 d. f
leandro valle 370
irapuato, gto.

MEXICO

VERACRUZ
MEXICO

MEXICO

COMPANIA de TRANSPORTES de la BAJA CALIFORNIA, S.A.
(LOWER CALIFORNIA TRANSPORTATION CO.)

Xochimilco
Mexico City
HAVANA
Saludos Amigos!
PICTURE Preview
of YOUR TOUR
Around Mexico
MEXICANA DE AVIACION

TIJUANA

Beckons you to a Latin Holiday

Cancionero
Picot
Morelos 94
DESDE EL CENTRO HASTA LOS MARES
Y A DONDE EL AIRE LLEVO
EL SON DE NUESTROS CANTARES
NO HAY TIPOS MAS POPULARES
QUE LOS CHARRITOS "PICOT"

TIJUANA
MEXICO

ENSENADA B.C.

mexico

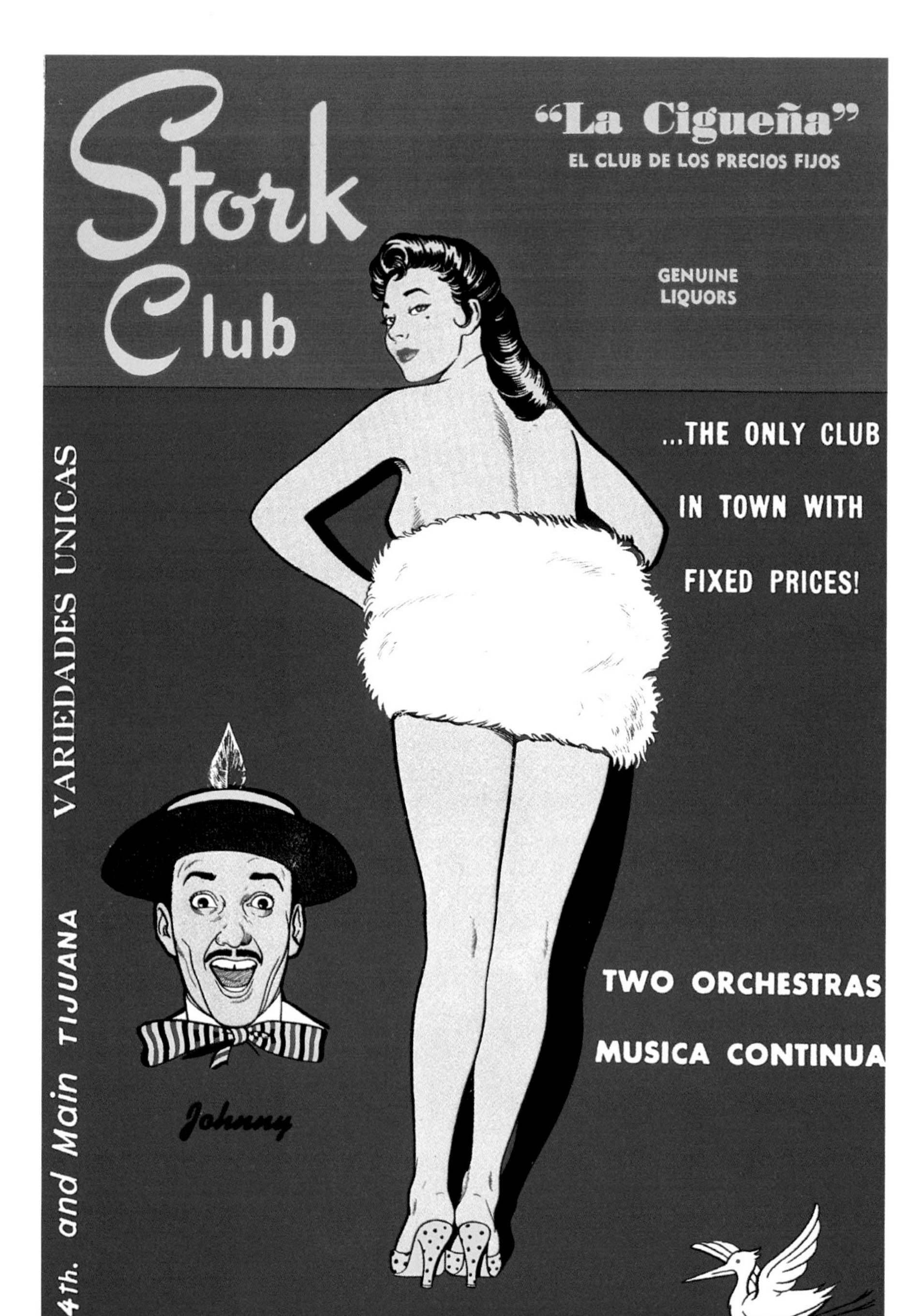
Stork Club
"La Cigueña"
EL CLUB DE LOS PRECIOS FIJOS
GENUINE LIQUORS
...THE ONLY CLUB IN TOWN WITH FIXED PRICES!
TWO ORCHESTRAS
MUSICA CONTINUA
VARIEDADES UNICAS
4th. and Main TIJUANA
Johnny

La Cucaracha
COCKTAIL
CLUB
GANTE
Nº 1
amous
the
ORLD
VER
CIERRESE ANTES DE ENCENDER
CONTIENE 12 LUCES

The unique BEER

WHEREVER YOU GO!

• ASK FOR MOCTEZUMA BEER •

COME DRESSED AS YOU ARE, NO HIGH JINKS HERE.
ALOHA CAFE
TIJUANA.
OLD
MEXICO
268
MAIN ST.

REPARTIMOS JUANA Y YO
CONSTANTEMENTE CONSUELO.
PUES LA "SAL DE UVAS PICOT"
A TODAS PARTES LLEGO
COMO LLOVIDA DEL CIELO.
Sal de uvas PICOT
Cancioneros Picot
Laxante, aperitiva, antiácida,
digestiva y diurética es la
Sal de uvas PICOT
Si no es PICOT no es Sal de uvas

Estilo Asturias
Sidra Champagne
El Pastor
MUNDET
ASTURIAS
PARA TODA FIESTA
PRECIOS:
BOTELLA GRANDE
UN PESO
BOTELLA MEDIA
65 CENTAVOS
PIDA PRECIOS MAYORE[S]
DISTRIBUIDA POR
Artículos MUNDET para Embotelladores, S.A.
Apartado 2581, MEXICO, D.F.
SIDRA CHAMPAGNE
El Pastor
MUNDET para Embotelladores
Apartado 2581 MEXICO, D.F.

Pidala... Bién Fria!

MONA LISA

MEXICO

NITE CLUB

CIERRESE ANTES DE ENCENDEI
CONTIENE 20 LUCES
REG Nº 2 SRIA DE HDA PERMISO Nº 3 DE

TEL
LAYA DE
CORTES
LORE of a centuries-old civilization, rich in the
Spanish exploration when conquering Cortes
ships and men, and when bright, brave galleons
Mexico is as ageless as eternity . . . as old as an-
resh as tomorrow's sunrise. One could travel the
rth to south, east to west—without discovering
picturesque and soul-satisfying country than
—Old Mexico. Here, then, will the traveler
r horizons . . . a land where life is gay and
d in which to rationalize his most lethargic
new playground in an old, old setting. And
Gulf of California—once called the Mar de
Playa de Cortes took its name—will he find
hotel.

INTRIGUING
COCKTAILS
WITH
TEQUILA CUERVO
Jose Cuervo
JOSE CUERVO, SUCRA.

XX
se produce en el
clima y con el agua
de ORIZABA
Cervecería
X X
DOS EQUIS
MOCTEZUMA
S.A.

ASI SE PREPARA UNA FIESTA

"RICOLTOREANA"

Basta que esté presente una botella del riquísimo aceite RICOLTORE para que, inmediatamente, todo plato, mayonesa o ensalada, adquiera ese sabor inconfundible que solamente concede un aceite de **probada calidad,** calidad que le ha permitido a RICOLTORE ocupar, durante tantos y tantos años, el puesto de honor en las mesas argentinas.

En botellas o en latas, la calidad en aceites se llama

RICOLTORE

NZUNZA'S CURIO STORE
TIJUANA, B.C., MEX.

FTY FIRST CLOSE COVER B
STRIKING MA

LA
CUCARACHA
(COCKTAIL CLUB)
GANTE 1.
MEXICO, D.F
LIST OF COCKTAILS....
CHOOSE ONE. THEY ARE
ALL GOOD!!

ARIZONA
PHOENIX
TO NEW YORK
TO CALIFORNIA
TUCSON
NOGALES
JESUS MARIA
CHIHUAHUA
S.P. de M.
HERMOSILLO
HOTEL PLAYA de CORTES
EMPALME
AIRPORT
GUAYMAS
SAN BLAS
GULF OF CALIFORNIA
BAJA CALIFORNIA

THE BEST PLACE IN TIJUANA
FINEST FOODS
THE BEST IN
LIQUORS
CALIENTE Gift Shop
CALIENTE
VINOS
MAIN ST. at FIFTH • TIJUA

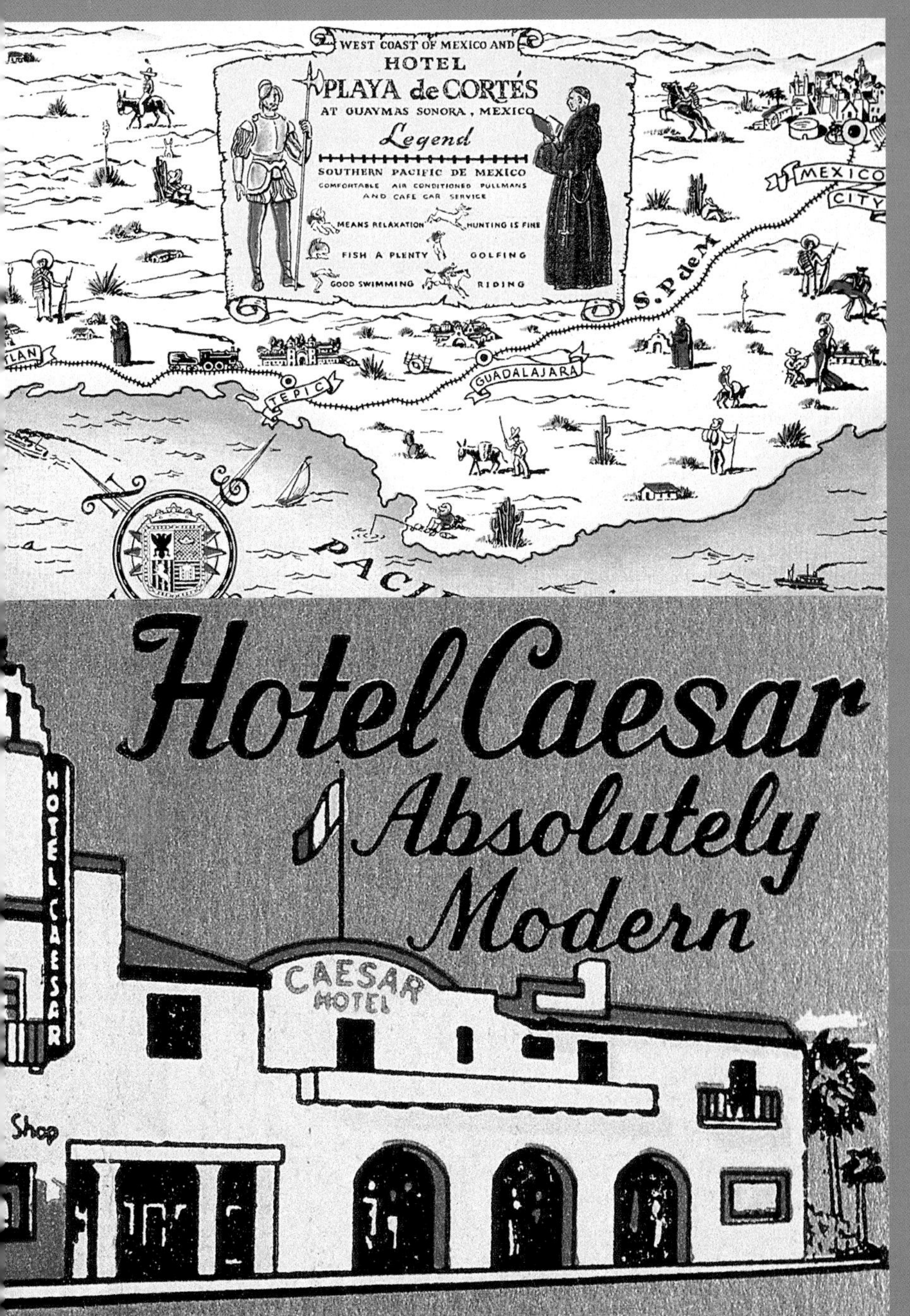
WEST COAST OF MEXICO AND
HOTEL
PLAYA de CORTÉS
AT GUAYMAS SONORA, MEXICO
Legend
SOUTHERN PACIFIC DE MEXICO
COMFORTABLE AIR CONDITIONED PULLMANS
AND CAFE CAR SERVICE
MEANS RELAXATION
HUNTING IS FINE
FISH A PLENTY
GOLFING
GOOD SWIMMING
RIDING
MEXICO
CITY
S. P. de M.
TEPIC
GUADALAJARA
Hotel Caesar
Absolutely
Modern
HOTEL CAESAR
CAESAR
HOTEL
Shop
BAJA CALIF., MEXICO

RIVIERA
MEXICO'S FINEST
ENSENADA • BAJA

Compliments of
CONTINENTAL
Curio
TIJUANA MEX.
106 Second St.

PACÍFICO
EASIDE RESORT
ALIFORNIA, MEX.
CLOSE COVER BEFORE STRIKING

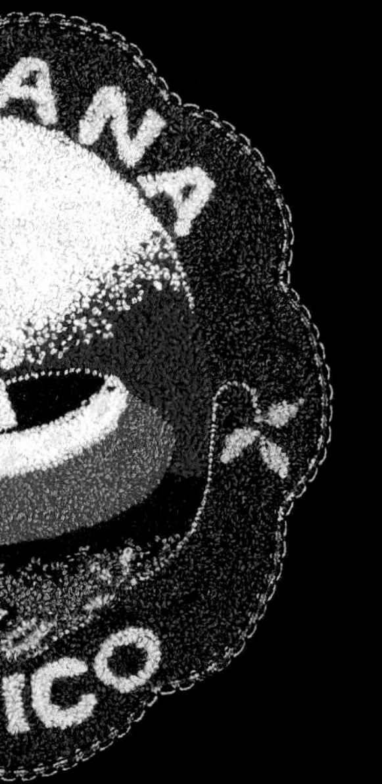
TIJUANA
MEXICO

HE INTERNATIONALLY FAMOUS RACE COURSE IN TIJUANA, BAJA CALIFORNIA, OLD

1
TIJUANA Mexico

TIJUANA
MEXICO

Souvenir Colored Views
TWENTY
SCENES
BEER
Tijuana, Mexico

TIA JUANA
SHELL
GASOLINE

HIPODROMO
de
TIJUANA
S. de R. L.
NINETEENTH DAY,
SUNDAY, MAY 11, 1947.
OFFICIAL PROGRAM
15¢

EMPORIUM

LIES
Ti Juana
Mexico

BAZAR MEXICANO
MEX 1916
PHOTO
IN
MEXICO

TIJUANA
TIJUANA
TIJUANA
TIJUANA

-la-
cucaracha
TIJUANA

TIJUANA
México?
Si-Señor
TIJUANA-MEXICO

ARMANDO
DRECHSLER

NVESTRA CIVDAD

ORGANO del DEPARTAMENTO del DISTRITO FEDERAL

JULIO 1930

PRECIO:
En la Capital...... $ 0.25
En los Estados.... 0.30

Impreso en los Talleres Gráficos de la Nación

Mi Juanita

LA LLAVE MAESTRA

FORTUNE

GOOD LUCK

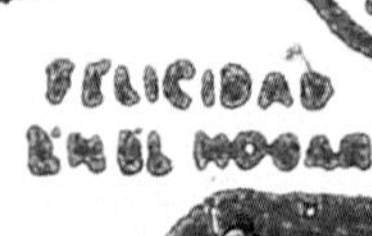

CANCIONERO ROSS

MIGNON

ENERO 1936

Nº 191.

MIGNON

Nº 211.

SEPTIEMBRE 1937

JESUS
HELGUERA

ARMANDO DRECHSLER
OFFSET·GALAS·MEXICO

PARA TI

"GUADALUPE"
LITO-MEX
MEXICO, D.F.

GARCIA
AREVALO

Acapulco
Exotic
Alluring
Misterious
Romantic
Hotel
LA MARINA
LA MARINA
Three Centuries Ago.
Today.

1941

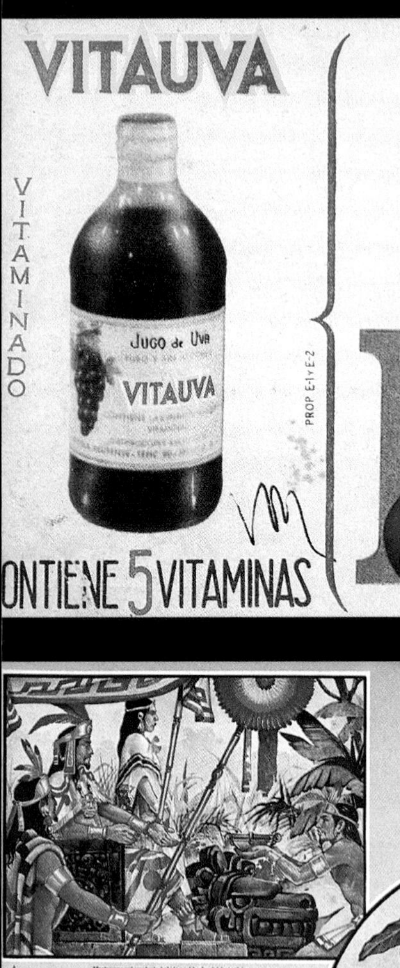
VITAUVA
VITAMINADO
JUGO de UVA
VITAUVA
PROP E-1 y E-2
ONTIENE 5 VITAMINAS

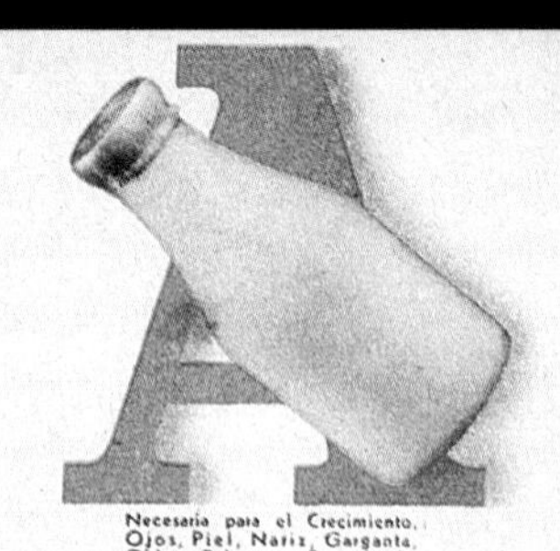
A
Necesaria para el Crecimiento,
Ojos, Piel, Nariz, Garganta,
Oidos, Pulmones, Fecundación

B
Necesaria para el Desarrollo,
Provecho de Féculas y Azucar,
Apetito, Nervios

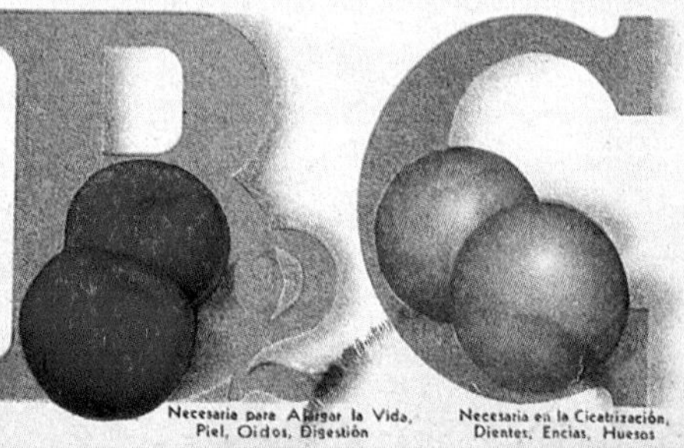
B
C
Necesaria para Alargar la Vida,
Piel, Oidos, Digestión
Necesaria en la Cicatrización,
Dientes, Encias, Huesos

D
Necesaria para la Digestió
Huesos, Dientes y Energ

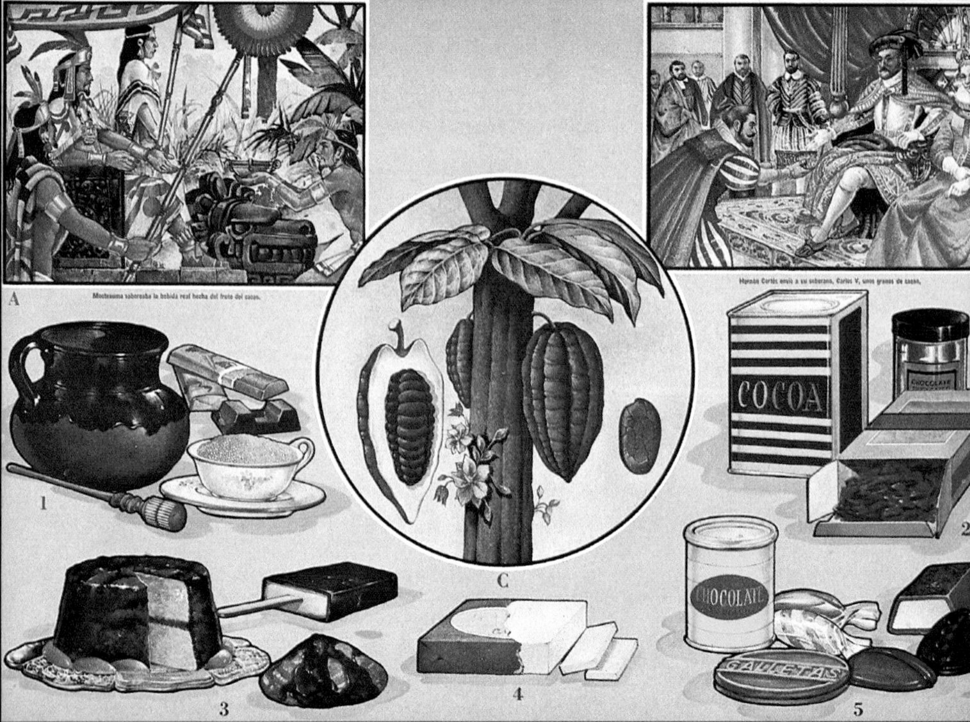
A
Moctezuma saboreaba la bebida real hecha del fruto del cacao.
Hernán Cortés envió a su soberano, Carlos V, unos granos de cacao,
1
C
COCOA
2
CHOCOLATE
GALLETAS
3
4
5

Mayo
1936

Mignon

Nº 195

Amada

O COYOTE
NÚMERO EXTR
CR$12,00
2
A PRIMEIRA AVENTURA DO "COYOTE"
POR J. MALLORQUI

LA COCINERA POBLANA

500 RECETAS
MOLE POBLANO
ANTOJITOS – REPOSTERIA

colorín

-90
JORGE NEGRETE
MAXIMO GALAN DEL CINE NACIONAL, EXCLUSIVO
PRODUCCIONES GROVAS, S. A. en
ME HE DE COMER ESA TUNA

O COYOTE
21
OS JARRÕES DO VICE-REI
por J. MALLORQUI
CR$ 12,00

60

O CABOCLO das CAVEIRAS

por J. MALLORQUI

O COYOTE
10
Cr.$8.00
A VITÓRIA
do COYOTE

¡VIVA MEXICO!
"Piensa, ¡Oh! Patria Querida,
que el CIELO,
Un SOLDADO
en cada hijo te dió."

Mignon
Septiembre 1938.
Núm.
223

Sal de uvas
PICOT

Virgil

Virgil

Virgil

A
MEXICO

EL MUNDO DEL RING

boxylucha

No. 1346 * $5.00

BOBBY LE

EXPONE SU MASCARA!..

EN EL PALACI

DE LOS DEPOR

EL BRONCAS...!

EN EL RING
DE "EL TOREO"
EL
PROXIMO
DOMINGO

EL MUNDO DEL RING

box y lucha

$5.00 * 1307

EDINSA 50¢

SANTO,
HAMADA
Y ANIBAL

UN TRIO DE IDOLOS
CONTRA
AMERICA SALVAJE,
EL VILLANO III
Y VALENTINO

Y ADEMAS...

¡EL
SUPERESPECTACULO
DE LOS
LUCHADORES
ENANOS!

HURACAN
RAMIREZ
CUMPLE
25 AÑOS
EN EL RING!

¡CALAVERAS DE
CLAVELITO!

DANTES EXPONE EL TITULO FRENTE AL FARAON

EL MUNDO DEL RING

box y lucha

$10.00 * No. 1386

CABELLERAS: CHAMACO ORTIZ V. EL SATANICO

MASCARA VS. MASCARA: ¡LA BRIOSA ANTE LA MEDUSA!

TAMBIEN SE JUEGAN LAS INCOGNITAS: EL VILLANO I VS. AZTECA DE ORO

MENDIETA, RETADOR DEL ASTRO REY

75¢

IEN quiere brillar
luz propia, sin de-
de sus hermanos.

ELIZ El Villano II con su
ctual campaña.

No sólo quiere ser el Segundo de los Villanos y tener deslumbrantes campañas en grupo. Desea triunfar por sí mismo. ¡Y claro que lo logrará!

MEXICO

C Ruano Llopis

La Divisa

Los Toros

SIDRA ESPAÑOLA

ZARRACINA.

LA MEJOR DE ASTURIAS

PROGRAMA DE LUJO (OBSEQUIO.)

THE BULL FIGHT

corridas de Toros

Autorización 3.032. Depósito Legal 1.

Programa

35 Pts.

TOROS

PROGRAMA de LUJO

OBSEQUIO

VERMOUTHS

MARTINI

IMPUESTO
INDUSTR
CERILLE
"ANAHUAC"
S.A.
VOLADORES
CERILLOS
MEXICO, D.F.

ORÁCULO

O LIBRO DE LOS DESTINOS

LA MAGIA VERDE

LO MAS
PERFECTO
AL SERVICIO
DE UNA DAMA
Virtus
Fabricantes:
UEDA & Cía.

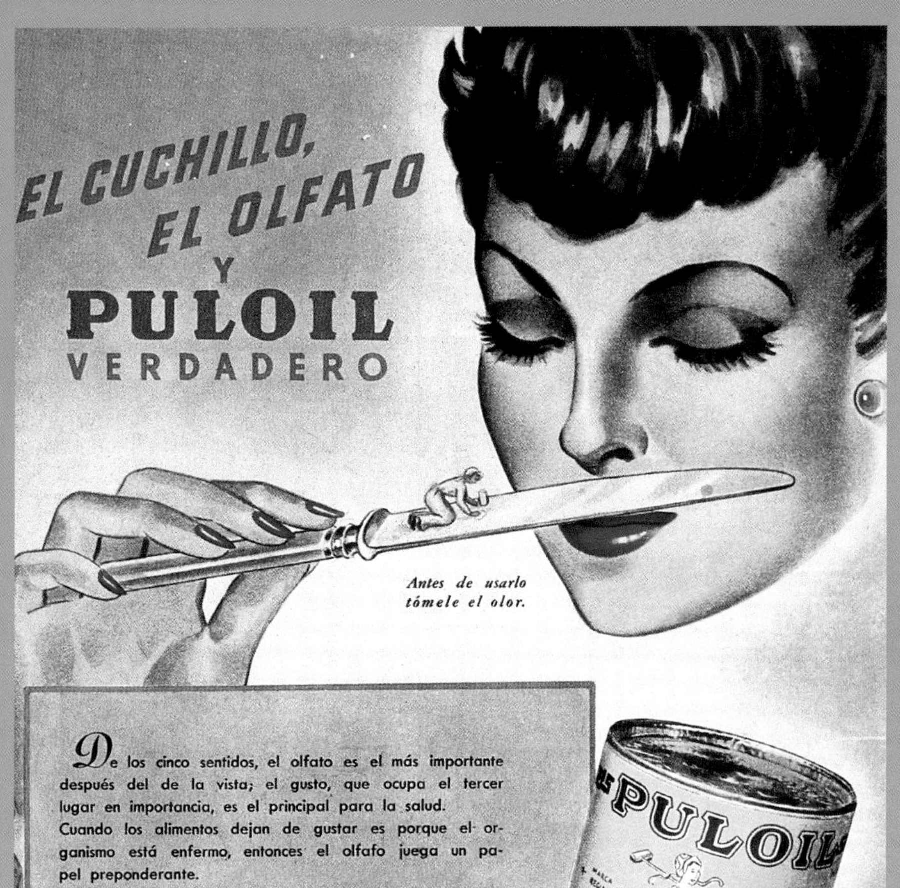

EL CUCHILLO,
EL OLFATO
Y
PULOIL
VERDADERO
Antes de usarlo
tómele el olor.

De los cinco sentidos, el olfato es el más importante después del de la vista; el gusto, que ocupa el tercer lugar en importancia, es el principal para la salud.
Cuando los alimentos dejan de gustar es porque el organismo está enfermo, entonces el olfafo juega un papel preponderante.
Antes de usar un cuchillo, una copa o un plato, hay que someterlos a la aprobación del olfato para asegurarse de que no tienen el olor característico proveniente de los residuos de las comidas o bebidas.
Lavando el cuchillo, la copa o el plato con PULOIL verdadero, enjuagándolos con agua y dejándolos secar sin usar repasador, no conservan ningun olor.

PULOIL
VERDADERO

PULOIL
PULOIL limpia instantaneamente
CUCHILLERIA
UTENSILLOS DE COCINA
BRONCES, PORCELANA, ARTICULOS DE VIDRIO
VIDRIOS, LOZA, ENLOZADO
MARMOLES, HOJALATA, CRISTALERIA
PISOS DE BALDOSAS, MADERAS ETC

El tarro con la mujercita de la escoba y el cepillo y la palabra PULOIL es el único que contiene PULOIL verdadero.

Unicos fabricantes: DEVOTO & CAUCHANER S. R. L.
BOYACA 445 BUENOS AIRES

DE
"MIGNON"
IBAÑEZ
ROJO PARA LABIOS
PAJARO
AZUL
REG. Nº 3427 T-D.S.P.
MONTERO
ESTOS GRACIOSOS
DIBUJOS LOS DAMOS

ROJO PARA LABIOS

"PAJARO AZUL"

Reg. 3747-T
D.S.P.

Rueda
PUB.

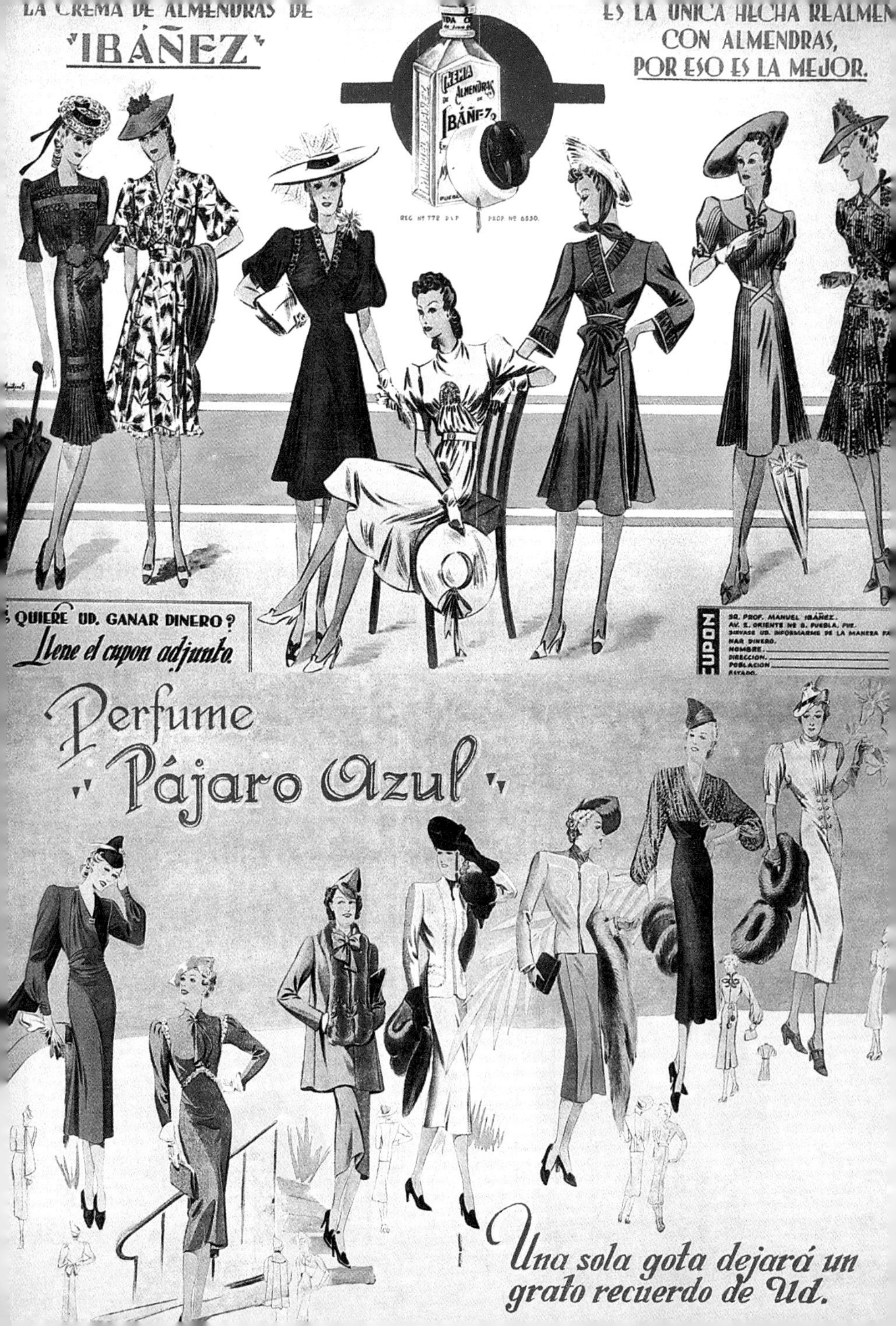
LA CREMA DE ALMENDRAS DE
"IBÁÑEZ"
ES LA UNICA HECHA REALMEN
CON ALMENDRAS,
POR ESO ES LA MEJOR.
CREMA DE ALMENDRAS DE IBÁÑEZ
¿ QUIERE UD. GANAR DINERO ?
Llene el cupon adjunto.
CUPON
SR. PROF. MANUEL IBÁÑEZ.
AV. 2. ORIENTE Nº 8. PUEBLA, PUE.
SIRVASE UD. INFORMARME DE LA MANERA
NAR DINERO.
NOMBRE.
DIRECCION.
POBLACION
ESTADO.
Perfume
"Pájaro Azul"
Una sola gota dejará un
grato recuerdo de Ud.

LRS
LRS

LEGITIMO POLVO

JUEGUELE BROMAS A SUS AMIGOS
CON ESTE BOTON DE SOLAPA

*El público ya se escama
con el "Cine Nacional",
pues la función es igual
y no cumplen el programa.*

CINE
NAL

CANDIDATO
CIVIL
6
Partes
HONRADEZ
LIBERTAD
VIDA-BARATA
Sufragio E
etc..

CANDIDATO
6 Partes
MILITAR
Honradez
Libertad
Vida Bara
Sufragio E
etc..

20¢

FREYRE

El delicado tema del divorcio es abordado por vez primera, con singular valentía, por el cinema mexicano . . .
CLASA FILMS, S. A. de C. V.
PRESENTA A
BLANCA DE CASTEJON
RENE CARDONA
en
DIVORCIADAS
CON
MILISA SIERRA
DELIA MAGAÑA
J. J. MARTINEZ CASADO
RAMIRO GOMEZ KEMP - VIRGINIA ZURI - EUGENIA GALINDO
Dirección
ALEJANDRO GALINDO
Producción de MAURICIO de la SERNA
la triste vida de tres mujeres divorciadas, con sus confesiones intimas, sus quimeras, sus amores, sus desengaños . . . ¡ y su soledad!
ARGUMENTO DE JULIA GUZMAN
Desde el 9 de DIC.
Palacio

cine REFORMA
HOY
JUNIO
VIERNES
30
STA LUCINA
SIEMPRE LOS MEJORES PROGRAMAS

MARAVILLOSA!
AUT-45759-A
ALBERT FINNEY
EN
"LA ALEGRE HISTORIA DE SCROOGE"
UNA NUEVA PELICULA MUSICAL
EDITH EVANS y KENNETH MORE
Otras Estrellas Laurence Naismith · Michael Medwin
David Collings · Anton Rodgers · Suzanne Neve
y ALEC GUINNESS

LOUIS DE FUNES en
QUIERO SER TU COMPADRE

PANTALLA CINICA

La nueva versión de la pe
lícula El Lago de los Cisn
se filmará ahora, pero e
CISNERAMA.

Nota cultural

Los puntos cardinales so
cinco: Norte, Sur, Este, Oe
te y Claudia.

Argumento cinematográfic
Síntesis
—¡ Papá! ¡ Papá!
—¡ Calla, mentiroso!

REFRAN. — Más vale loc
por conocido, que loco p
conocer.

EL ORO. — El oro es u
metal noble, por ello gust
tanto a la nobleza.

todo es más
sabroso co

CALLE EN TAXCO, GRO. SIGLO XVIII.

MENU

"PAOLO"

RESTAURANT

GANTE, 11 MEXICO, D. F.

menú
XX - Superior - XXX - Sol
SON CERVEZAS MOCTEZUMA

BIBLIOTECA
DE LAS
ESCUELAS
ALUCIE Y OSCOY
PROBLEMAS
CUARTO AÑO
HERRERO Hnos EDITORES

Tampico

1944
Hotel TAMPICO
El Hogar del Turista

Menú
¡BIENVENIDOS!
Ahepans, Daughters, Sons and Maids
EL CAMINO REAL DISTRIT
LODGE No. 20
ORDER OF AHEPA
AT THE
CAVERN CAFE
NOGALES, SONORA, MEXICO
January 25, 1948
¡SALUD Y PESETAS!
CERVEZA
TECATE
CERVEZA
TIPO PILSENER
TECATE
CERVECERIA
TECATE, S. de R. L.
Orgullo de México
TECATE, B.C.
MEXICO
CERVEZA
TECATE

ABIERTO
TODA LA
NOCHE

OPEN
ALL
NIGHT

PALACIO DE CRISTAL

CRYSTAL PALACE

MENDOZA'S

Cantina y Restaurant

-Bar and Cafe-

"UN LUGAR PARA DAMAS Y CABALLEROS"
"A PLACE FOR LADIES AND GENTLEMEN"

LO MEJOR DE LO MEJOR A PRECIOS COMODOS
THE BEST OF EVERYTHING AT REASONABLE PRICES

F. I. MENDOZA { GERENTE / MANAGER

CERCA DEL PUENTE SANTA FE
JUST ACROSS THE SANTA FE BRIDGE

505 Juarez Ave. Tel. Juarez 85
CIUDAD JUAREZ, CHIH., MEXICO

REFRESCOS
Kist
3
en 5 diferentes
TORONJA • LIMON • CO
• ORANGE • FRESA •

DELICIOSOS
maños
abores
HECHO EN GUADALAJARA–MEX

CIGARROS
cigarros
cilindricos
extra
PAPEL OROZUZ
PATRIOTAS

TWENTY
TORO Y CA. S. EN CO.
PORTO RICAN AMERICAN TOBACCO CO.
SUCCESSOR
SAN JUAN, P.R.

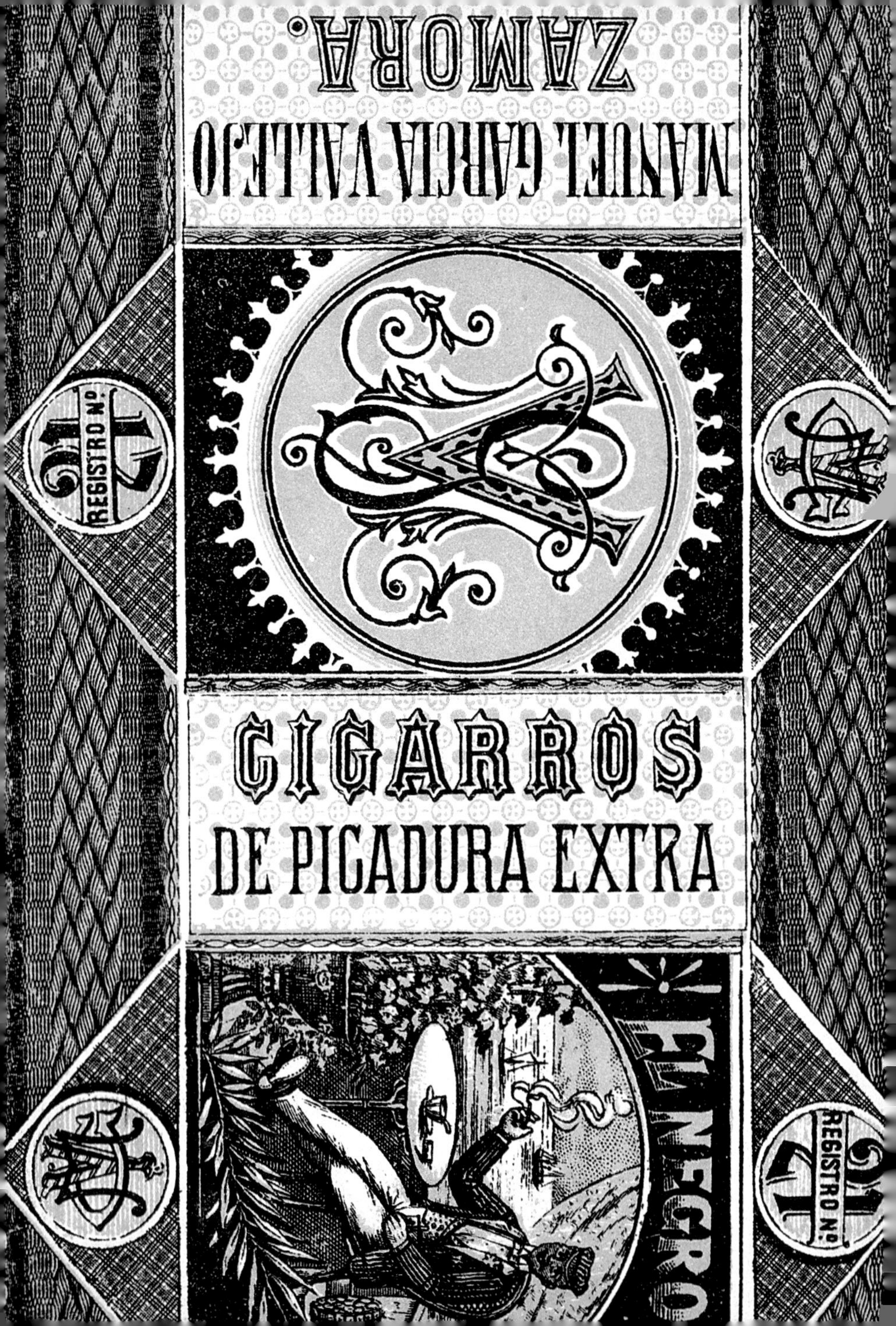
MANUEL GARCIA VALLEJO
ZAMORA.
REGISTRO Nº
CIGARROS
DE PICADURA EXTRA
EL NEGRO

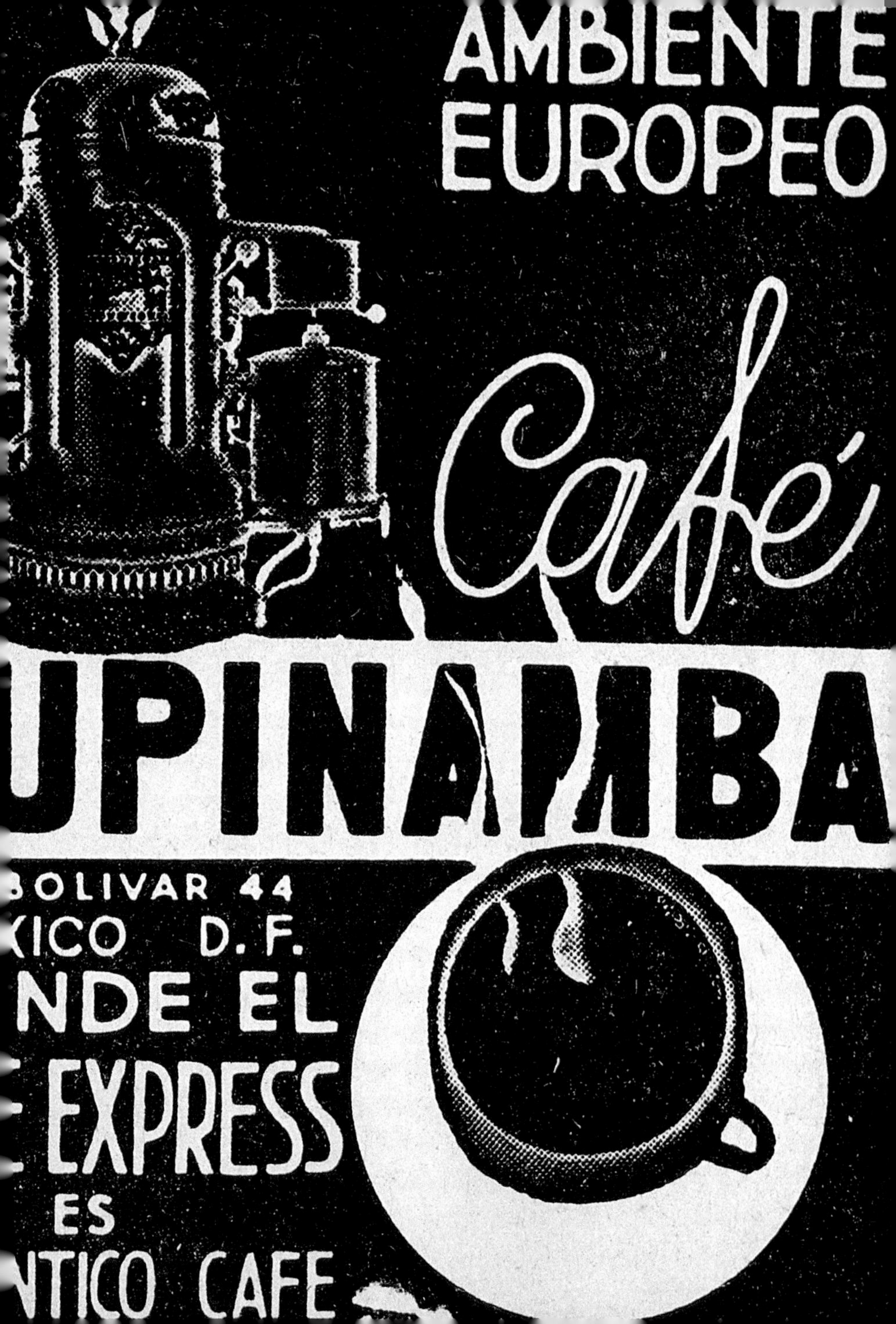
AMBIENTE
EUROPEO
Café
UPINAMBA
BOLIVAR 44
XICO D. F.
NDE EL
EXPRESS
ES
NTICO CAFE

Ella tomó Píldoras Ross
Él ¡NO!
PILDORAS
ROSS
LAXANTE Y PURGANTE

quitas...
pero cumplidoras

LAXANTE Y
PURGANTE

PILDORAS
ROSS

VEO LA VIDA COLOR DE ROSA...
con
LAXANTE Y
PURGANTE
PILDORAS
ROSS

ACEITE ZODIATICO

MISTERIOSO

AMOR

SOL

Fortuna

EXITO.

PLATA

POLVO DE DOBLE RAPIDA SUERTE

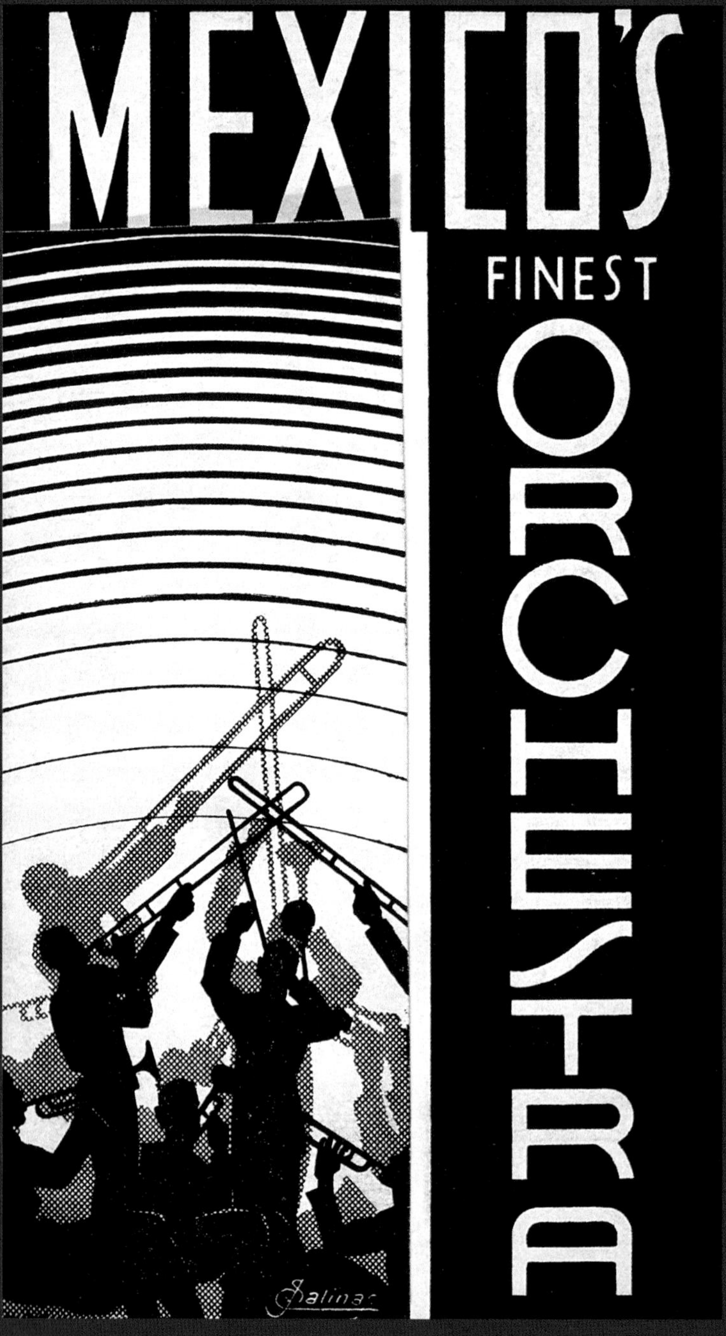

MEXICO'S

FINEST

ORCHESTRA

Salinas

Tipica
Orchestra
of
Mexico
FORMER PRESIDENT
ALVARO OBREGON'S
OFFICIAL ORCHESTRA
SECOND
AMERICAN TOUR
DIRECTION OF
Granville S. Johnson
& Emmett Hines
El Paso, Texas
JOSE BRISENO, CONDUCTOR
PHILHARMONIC AUDITORIUM
SAT. EVE. FEB. 12 — TUES. EVE. FEB. 15
Matinees SAT. and SUN. FEB. 12-13
Tickets 50c-75c-$1.00-$1.50-$2.00 plus tax—On sale Central Box Office, 5th at Olive
Coast Tour Direction L. E. BEHYMER

ICONS